CYFRES TI'N JOCAN

hiwmor
DILWYN

Dilwyn Morgan

Argraffiad cyntaf: 2009

© Dilwyn Morgan a'r Lolfa Cyf., 2009

*Mae hawlfraint ar gynnwys y llyfr hwn ac mae'n anghyfreithlon i
atgynhyrchu unrhyw ran ohono trwy unrhyw ddull ac at unrhyw
bwrpas (ar wahân i adolygu) heb ganiatâd ysgrifenedig y
cyhoeddwyr ymlaen llaw.*

Dymuna'r cyhoeddwyr gydnabod cymorth ariannol
Cyngor Llyfrau Cymru.

Rhif Llyfr Rhyngwladol:
ISBN: 978-1-84771-080-2

yl **Lolfa**

Cyhoeddwyd, argraffwyd a rhwymwyd yng Nghymru
gan Y Lolfa Cyf., Talybont, Ceredigion SY24 5HE
e-bost ylolfa@ylolfa.com
gwefan www.ylolfa.com
ffôn (01970) 832 304
ffacs 832 782

Cynnwys

Rhagair

Fe gefais gryn drafferth wrth feddwl sut lyfr oedd hwn i fod. A oedd i fod yn lyfr bwrdd coffi? Wel, mae'r clawr wedi'i wneud o bapur caled arbennig gyda chanran isel o asbestos ynddo, fel ei fod yn dal gwres 99% o ddiodydd poeth heb adael cylch ar farnish y bwrdd.

A oedd i fod yn lyfr tŷ bach, rhywbeth i bori trwyddo wrth eistedd ar y *throne*, chwedl Nain? Wel, mae'r tudalennau mewnol wedi'u gwneud o bapur meddal sydd â chanran uchel o aloe vera er mwyn lliniaru problemau hemaroidol. Mae o hefyd yn llyfr arbennig ar gyfer y Nadolig gan ei fod wedi'i gynllunio'n arbennig gan chwaer i wraig Blodwen Blaen Bogal i'w rowlio'n daclus fel ei fod yn ffitio i mewn i hosan. Y stocin ffilar delfrydol.

Dwi ddim wedi sôn am Ellis Wynne, Lasynys, nac ychwaith Cynddelw Brydydd Mawr, a hynny'n fwriadol – ges i ddim mensh ganddyn nhw yn *Gweledigaetheu y Bardd Cwsg* na *Llyfr Coch Hergest*.

Be sydd yn ein gwneud i chwerthin? Dyna gwestiwn sydd wedi bod yn corddi meddwl dyn ers y dyddiau cynnar, pan ddywedwyd y jôc gyntaf honno mewn ogof ar Fannau Brycheiniog:

"Ygg ygg ygg," meddai'r epa ddyn.

"Dwi 'di chlywad hi o'r blaen," meddai'r llall!!!!

Rhyw gasgliad o fyfyrdodau a straeon sydd yma, sydd o leia'n codi gwên gobeithio. Os ydych yn gweld eich ffordd yn glir i chwerthin yn uchel, wel gwnewch, er mwyn tad. Mae angen llawer iawn mwy o chwerthin yn y byd 'ma, dwi'n deud.

Os nad ydych yn mwynhau'r straeon, wel, gellwch rowlio'r llyfr yn dynn a'i ddefnyddio i ladd pryfaid.

Dilwyn Morgan

Hen Ddiwrnod
Digon Di-ddim

Hen ddiwrnod digon di-ddim oedd 17 Tachwedd 1957. Deud y gwir, rhyw flwyddyn digon digyffro oedd hi 'di bod. Ym mis Ebrill cafwyd tipyn bach o gynnwrf pan ddarlledodd rhaglen ddogfen *Panorama* ar y teledu eitem yn dangos teulu o Ticino yn y Swistir yn cynaeafu sbageti oddi ar goed a'u gosod allan yn yr haul i sychu. Esboniodd Richard Dimbleby, y cyflwynydd, fod mis Mawrth yn amser tyngedfennol i'r ffermwyr sbageti ac fel roedd blynyddoedd o ffermio gofalus wedi sicrhau fod pob darn o sbageti yn tyfu i'r un hyd. Yn ôl ei ragarweiniad roedd disgwyl rhyw ddiwrnod i'r bwyd egsotig yma fod ar gael ym Mhrydain. Ebrill y 1af oedd y dyddiad ac roedd rhywun yn y Bîb awydd trio bod yn ddoniol!!

Bu genod switsfwrdd y Bîb yn hynod brysur am ddiwrnodau ar ôl y rhaglen... o na, nid derbyn cwynion am y celwydd ond yn hytrach ymholiadau. 'Ble alla i brynu coeden y spageti 'ma?' Wrth gwrs, doedd 'run o drigolion pentref Garnfadryn, Pen Llŷn, yn gwybod dim am y twyll yma gan y BBC achos doedd gan neb yn y pentref deledu.

★★★

Yn ôl llyfrau hanes a Google ddigwyddodd fawr o ddim ar y blaned yn werth ei nodi ar Dachwedd 17eg a doedd *Old Moore's Almanack* ddim yn rhagweld diwedd y byd na phla o locustiaid na llyffantod yn y dyfodol agos. Mae'n siŵr mai ci bach o'r enw Laika o Rwsia oedd ar fin cael ei danio i'r gofod ar Sputnik 2 oedd y cradur mwya ecseited ar wyneb daear, wel heblaw am Toss, ci defaid Tecwyn 'Refail oedd wedi mynd ar grwydr a heb ddod adra ers tridiau. Yr enwogrwydd o fod y creadur byw cyntaf i amgylchynu'r ddaear oedd o flaen Laika ond i Toss roedd y ffaith fod Floss, ci William Hugh Frondeg, *on heat* yn rhoi llawer mwy o wefr iddo nag unrhyw gyfle i gael roced yn ei din.

Yn ôl Mrs Hughes Tancefn doedd Toss ddim yn ei lawn bwyll gan fod ei *hormones* o 'di cymryd drosodd ei frêns o. Roedd hi 'di bod yn gwrando ar rwbath am y peth ar y weirles wsnos cynt wrth ddisgwyl i'r jam riwbob setio.

★★★

Dynes fach digon prysur oedd Mrs Hughes Tancefn ac yn debyg iawn o ran ei phryd a'i gwedd, am wn i, i *hobbits* Tolkien. Gweithiai yn ysgol Llaniestyn yn ystod y dydd fel *second Cook* – dim ond dwy oedd yno. Tu allan i oriau gwaith roedd hi'n gwneud bwyd

9

a thendio *hand and foot* fel sa hi'n ddeud, ar Gruffudd John, y gŵr.

Mrs Hughes Tancefn oedd y cyntaf erioed i mi glywed yn rhegi ac roedd hi'n gwneud hynny gydag arddeliad naturiol a, fel arfer, Gruffydd John fydda'n dod o dan ei llach. Dwi'n meddwl bo hi 'di bod yn yr armi neu rywbeth achos glywes i Mam yn deud bo hi'n rhegi fel trwper. Roedd hi'n deud fod Griffith John, y gŵr, mor llonydd fel bo hi a fo 'di cael eu stopio rhyw dro wrth ddod allan o Madam Tussauds a'i chyhuddo o ddwyn un o'r *exhibits*. Dwi'n cofio hi'n deud rhyw dro hefyd na fasa fo ddim yn neidio hyd 'n oed os basa hi yn rhoi procar poeth i fyny ei din o.

Cês oedd Mrs Hughes. Sôn am Madam Tussauds, fydda i'n meddwl weithiau beth oedd Monsieur Tussauds yn ei wneud o ran bywoliaeth! Fuodd 'na rioed lawer o sôn amdano fo, naddo.

★★★

Ychydig iawn wyddwn i am broblemau byd carwriaethol ci Tecwyn 'Refail na Laika ar y pryd, gan mai fi oedd aelod mwyaf newydd ward *maternity* Ysbyty Dewi Sant, Bangor. Roeddwn i'n reit falch mai yno ces i fy ngeni er mwyn imi gael bod yn ymyl Mam. Mae 'na lawer un yn honni iddo gael ei eni'n rhy fuan ond dwi'n hynod o falch na chefais fy ngeni lawer diweddarach gan mai lle gwerthu compiwtars sydd wedi ei godi ar hen safle Ysbyty Dewi Sant, Bangor a fasa fo ddim yn gychwyn da ar daith bywyd i rywun gael ei eni yng nghantîn staff PC World, na f'sa. Ond pwy a ŵyr! Dim lle yn y llety a ballu. Efallai buasai rhaid ailysgrifennu stori'r geni… Dwn i'm be fasa'r gwaetha a deud gwir, stabl efo oglau seilej neu gantîn efo oglau coffi stêl a Woodbines 'di aildanio.

Pan dynnwyd yr hen le i lawr roedd yn bosib prynu'r brics fesul un fel rhyw fath o femorabilia *antenatal*. Yn ôl y sôn, mi wnaeth yna deulu o Faesgeirchen gario gymaint oddi yno mewn bŵt Austin Allegro fel bo nhw 'di gallu codi *semi-detached* yn Rachub efo twin garej a digon dros ben i wneud *deluxe home barbecue*.

Yn ôl pob tebyg, mi gymrodd Hannibal wythnos i baratoi cyn croesi'r Himalayas gyda hanner dwsin o eliffantod ond doedd hynny ond hanner yr amser gymerodd Hugh Thomas Morgan i baratoi'r Morris Minor ar gyfer y bererindod i Fangor i nôl Mam a fi. Yn ôl ei ddamcaniaeth o, roedd pererindod i lefydd pell fel Bangor yn werth dau drip i Rufain a Duw a ŵyr sawl mordaith i Enlli at yr ugain mil o seintiau. Fyddai'n edrych ar y dŵr a'r oel, gerbocs, injan ac echel ôl. Tsiecio plygiau, points, brêcs, a sbêr whîl. Fydda i'n meddwl weithia be fasa 'di digwydd tasa Dad wedi bod yn gweithio i NASA ac yn gyfrifol am y roced aeth â dyn i'r lleuad. Mae'n siŵr y buasent yn dal ar y *launch pad* yn aros i Dad edrych ar oel y gerbocs un waith eto!

Canolbwynt ei fyd mecanyddol oedd Morus Mul llwyd. Dwi ddim yn siŵr os mai llwyd oedd lliw gwreiddiol y mul gan fod awgrym mewn ambell le o olion brwsh paent. Tryc local oedd GUN 511 felly roedd ei baratoi am drip i Ysbyty Dewi Sant, Bangor yn dipyn mwy o ymdrech na fu i Hannibal wneud erioed.

Y daith gyntaf dwi'n ei chofio gwneud yn y Mul oedd mynd efo Dad i Ysbyty Bryn Beryl ger Pwllheli i nôl mam a rhyw borchell bach pinc a oedd, yn ôl pob sôn, yn dod i fyw i'n tŷ ni. Mi oeddwn wedi gobeithio cael un o'r mwncis bach 'na efo dwylo oedd yn bosib ei hongian o ffrâm drws a ballu, ond be ges i oedd chwaer!

Wn i ddim hyd heddiw beth fu diweddglo carwriaeth Toss a Floss a wnaeth William Hugh erioed godi'r pwnc yn yr Ysgol Sul. William Hugh Frondeg oedd fy athro Ysgol Sul i a fo oedd y rheswm pennaf i mi fynychu festri MC Garnfadryn. Flynyddoedd wedyn roedd yn sioc i mi ddeall fod 'na fwy nag un festri yn y byd gan 'mod i wastad 'di meddwl fod festri y Garn yn lle unigryw. Dysgais lawer iawn yn yr Ysgol Sul gan William Hugh, yn enwedig am bêl-droed. Dwi'n meddwl mai Everton oedd ei dîm o achos roedd 'na baced o Everton mints ganddo bob pnawn Sul ac roedd plant ei ddosbarth i gyd yn gallu enwi chwaraewyr Everton cyn enwi unrhyw un o'r deuddeg disgybl. 'Nes i rioed feddwl am y mints fel rhyw fath o lwgwrwobr grefyddol bryd hynny.

***

Noa

Ystori orau gawson ni rioed gan William Hugh oedd y stori am Noa a'i gi. Roedd sawl diwrnod wedi pasio ers y dilyw ac roedd pawb wedi setlo lawr yn go lew ar y *S.S. Arch Noa*. Roedd yr anifeiliaid i gyd wedi setlo i lawr ac roedd y ffrwgwd am yr iaith anweddus a glywyd gan y ddau sebra pan gyhoeddwyd tros y tanoi wrth i bob anifail giwio i fynd ar yr Arch ynghanol y glaw trwm y byddai rhaid llwytho yn ôl trefn yr wyddor, a heblaw am ambell gŵyn am y bwyd gan y platypus/hwyatbig a rhyw ffrwgwd pan wnaeth yr eliffant gwyno bod y llygod yn y caban drws nesa yn chwyrnu, roedd pawb yn mwynhau'r fordaith. Roedd canmol mawr i'r adloniant fin nos yn enwedig i'r *cabaret-tribute* i Frank Sinatra ac i'r ddwy iâr oedd yn neidio trwy gylch o dân tra oedden nhw'n chwibanu casgliad o ganeuon Dolly Parton.

Roedd yn gas gan Noa fore dydd Sadwrn. Dyma'r bore y byddai, fel capten, yn gorfod gwneud ei *tour of inspection*. Byddai disgwyl iddo ddangos ei wyneb yn swyddogol ymhob rhan o'r llong gan sicrhau fod pawb wedi gwneud ei ran yn glanhau ac yn cael sglein ar bob tamed o bres. Dyma darddiad y dywediad morwrol *'A clean ship is a happy ship'*.

Beth bynnag, bob bore Sadwrn byddai gwraig Noa yn estyn ei iwnifform morwrol, pedair streipen, cap pig gloyw a chleddyf seremonïol a enillodd mewn rhyw raffl yng nghinio Rotary yn Jeriwsalem rhyw dro a chyda thipyn o blomp byddai 'rhen Noa yn cychwyn ar ei daith o amgylch ei Arch. Gyda llaw, dynes wirion iawn oedd gwraig Noa, ei henw oedd Waila ac roedd llawer o bobol yn drysu rhyngddi hi a gwraig Lot gan mai Wahela oedd enw honno ac roedd honno'n ddynes wirion iawn hefyd. Bydda ambell bostmon yn drysu rhwng y ddwy a daeth hyn i ben llanw pan gwynodd Wahela wrth y *Postmaster General* ei hun fod Waila wedi derbyn ei thanysgrifiad blwyddyn o *Readers Digest*. Yn ôl pob sôn cafodd y postman druan ei ladd wrth giatiau Shaftesbury Avenue wrth iddo gael ei daro'n ddidrugaredd ar draws ei ben efo catalog Dolig J.D. Williams.

Yn ôl at y stori…

Un Sadwrn pan oedd Noa ar ganol ei *inspection* daeth ar draws rhywbeth a godai ofn ar bob morwr ers cychwyn amser. Hawdd fyddai yma mynd i sôn am rhyw rash neu rhyw gosi cyson fel arfer a fyddai'n ymddangos ddeg diwrnod ar ôl trip hogia mawr i gwt rhwbio ond rhaid cofio am pwy rydan ni'n sôn yn fama. Beth bynnag, daeth Noa ar draws twll. Twll bychan maint bawd oedd hwn ac mewn hosan neu mewn welington fuasai ddim wedi haeddu sylw gan unrhyw aelod o Ferched y Wawr, ond mewn llong!

Llong + Twll = Cwch achub, hwyr neu hwyrach.

Roedd y dŵr yn llifo i mewn yn gyson a gwnaeth Noa gymhariaeth â hanes… wel naddo a deud y gwir gan nad oedd stori'r bachgen bach yn rhoi ei fys yn y morglawdd yn yr Iseldiroedd, a hanes Seithennyn a Chantre'r Gwaelod heb ddigwydd hyd yn hyn. Edrychodd Noa o'i gwmpas mewn panig llwyr a fflamiodd am nad oedd wedi cael unrhyw fath o annwyd na chlefyd y gwair ers wythnosau felly doedd ganddo ddim hances boced wrth law i'w stwffio i mewn i'r twll. Yr unig beth yn ymyl a allai achub y dydd oedd ei gi ffyddlon Efenechtyd. Roedd cynffon Efenechtyd yn rhy lipa i'w stwffio i'r twll…

(Dwi'n credu fod rhyw jôc fylgar ar gyfer noson mewn clwb rygbi 'di datblygu o'r stori hon yn ddiweddarach. Yn ôl y fersiwn honno gwnaeth rhyw hogyn bach ddangos i'w daid sut i wneud pryfaid genwair yn stiff efo *nail varnish* er mwyn eu stwffio 'nôl i'w tyllau. Dwi'n credu i'r stori orffen rhywsut wrth i'r bachgen bach gael pum swllt gan ei nain am ei hawlfraint i'r dechneg!)

… Yr unig ateb oedd stwffio trwyn Efenechtyd y ci i mewn i'r twll er mwyn atal llif y dŵr ac felly achub Arch Noa. Ac yn ôl William Hugh, athro ysgol Sul Festri Capel M.C. Garnfadryn,

"Dyna sut mae gan bob ci bach hyd heddiw drwyn gwlyb."

Cân yr Ymgymerwyr

(I'w chanu'n sensitif yn nhafodiaith Arfon.)
Geiriau Eleri Llwyd, gydag ymddiheuriadau mawr
iawn i Hogia'r Wyddfa… Sori.

'Dan ni'n damio pan ddaw'r gwanwyn
A'r blydi haul ar fryn
Nid hel meddyliau am blannu bylbiau'n
Yr Hydref mae'r hogiau hyn.
Tywydd Brass Monkeys sydd orau'n Llanberis
Am annwyd neu godwm – neu 'stiffs'.

Fe safwn wrth droed yr Wyddfa,
(Does neb a ŵyr be a ddaw),
High quality amdo ym mŵt y car
A thâp mesur yn ein llaw.
Cewch alw hyn yn demtio ffawd
Ond mae rhaid i rywun gladdu'r brawd.

Ni sydd yn rhoi'r olaf gymwynas
A deigryn ar ein grudd,
Hancesi gwlyb ym mhob poced
Ar gyfer achlysur mor brudd.
Mor hoff y'm o wynebu'r olaf daith

'Dan ni'n claddu ein hunain bedair gwaith.

Ein gelyn mawr yw'r meddyg
Sy'n gwella pob clefyd, mawr a mân,
A gofynnwn wrth gyfri ein *hard earned cash*
Bob nos yng ngolau'r tân,
'Pam Arglwydd y gwnaethost y werin mor iach,
A bywyd ymgymerwr mor fyr?'

Felly croesawch y *rigor mortis*,
Meddyliwch am amdo fel fest,
A thragwyddoldeb ond andros o rest
Wedi reid bach neis yn yr hers.
Ond, 'Pam uffar y gwnaethost y werin mor iach,
A bywyd ymgymerwr mor fyr?' (2 waith)

Cân oeddwn yn canu fel aelod o'r 'Parti Arall' yn ôl
yn yr 80au.

Y Bwtshar

Cyfres *Da 'Di Dil 'De*

Helô… Neu fel o'n i'n deud wrth Myfanwy drws nesa 'cw cyn iddi siafio ei choesau… Ti'n o lew, coesau blew? Dwi ddim yn gallu deud hynny wrthi rŵan, chwaith. Ma hi 'di cael rhyw stwff o'r cemist i neud y job. Eli fatha eli pyrsiau gwartheg. Stwff da, medda hi, ac roedd hi'n 'i ganmol o i'r cymylau.

Ddudodd hi wrtha i fod o'n stwff mor dda fel ma hi 'di drio fo ar ei shiwawa. Rhaid imi ddeud 'mod i di gweld ei shiwawa hi, peth bach dela welsoch chi rioed er doedd hi'n cael dim lwc wrth iddi ei ddangos o ar hyd a lled y wlad 'ma. Rhy flewog oedd y feirniadaeth bob tro. Felly dyma hi'n mentro trio dipyn o'r eli tynnu blew coesa 'ma arno fo, a wir dduw mi gafodd ail yn Royal Welsh. Ma hi 'di deud bo hi am drio llond llaw go lew tano fo a mynd am Crufts flwyddyn ncsa. Pob lwc Myfanwy, medda finna.

***

Beth bynnag, dyna ddigon am Myfanwy a'i shiwawa. Dwi â digon ar fy mhlât fy hun – newydd ddod o gynhadledd Merched y Wawr yn Llandudno lle bûm yn dangos fy sosej a dangos pa mor hawdd 'di trin tamad o loin efo *chopper* go lew. Ew, profiad bythgofiadwy! 732 o ferched a finna. Teimlo'n debyg iawn i geiliog mewn ffatri Chucky Chix… Gwbod be i neud ond ddim yn gwbod lle i gychwyn.

★★★

Henaint ni ddaw ei hunan, 'de? Ma hi 'di mynd yn sbectol arna i. O'n i 'di ama fod 'y ngolwg i'n dechra mynd pan 'nes i ddrysu rhwng y wraig a *Vietnamese pot bellied pig*. Fues i'n cysgu efo'r mochyn am bythefnos a 'nes i ama dim tan i'r llestri ddechra hel yn y sinc.

Roedd Neli Cae Dicws 'di ama ers talwm, medda hi, achos roedd hi 'di sylwi fod fy sosej i ddim 'run hyd bob wythnos. Mae'r rhain yn ail bâr i mi – roedd y cyntaf yn bifocals ac roeddwn yn gweld dau o bob un. Pan oeddwn yn mynd i'r tŷ bach roeddwn yn gweld dau … un bach ac un mawr! Allan o gywilydd roeddwn i'n cadw'r un mawr, ac o'r adeg honno 'nes i ddechra gwlychu fy hun!

★★★

Ges i hogyn bach o'r Bala i helpu fi am dipyn yn siop 'cw, ond mi gath o'r sac am fod yn ddigywilydd efo gwraig y gweinidog.

Mi ddoth i mewn rhyw ddiwrnod isio Norfolk Duckling ond duck oedd duck iddo fo felly dyma estyn y cynta ddoth i law iddi. Mi stwffiodd gwraig y gweinidog ei bys i ben ôl y chwadan a'u ogleuo a datgan i'r holl siop mai Aylesbury Duck oedd hwnnw a dim Norfolk. Aeth hyn ymlaen dair gwaith cyn iddi allu ogleuo y Norfolk roedd hi ei hangen.

"Dach chi'n newydd yn y job yma, tydach?" meddai wrtho. "Dwi ddim di'ch gweld chi yn y siop 'ma o'r blaen. Hogyn pwy dach chi? Ac o le dach chi'n dod?"

Trodd ei gefn ati a thynnodd ei drowsus i lawr at ei bengliniau a'i gwahodd i ddyfalu!

Yncl Dic

Yr unig un o'n teulu ni i wneud enw iddo fo'i hun oedd Yncl Dic, gŵr Anti Mabel. Gwerthwr o ddrws i ddrws oedd Dic wrth ei alwedigaeth a chafodd lwyddiant ysgubol yn gwerthu beibla o ddrws i ddrws ar hyd a lled y wlad. Roedd gan Yncl Dic dipyn bach o atal deud a buodd hyn yn gryn fantais iddo ennill gwobr flynyddol Cymdeithas y Gideoniaid am fod y gwerthwr beibla gorau trwy Brydain, dair blynedd yn olynol. Mae'r cerflun o'r Forwyn Fair mewn plastar o Paris yn cael *pride of place* yng nghwpwrdd cornel Anti Mabel hyd y dydd heddiw. Dylid nodi yma mai cerflun o'r Forwyn Fair wedi ei wneud allan o blastar o Paris ydi o a dim y Forwyn Fair mewn plastar o Paris, fel sa hi 'di torri braich neu rywbeth tebyg.

Byddai Yncl Dic yn cnocio drws a'r Beibl newydd sbon wedi ei ddal hyd braich o'i flaen a byddai'r araith werthu ganddo yn union yr un fath, haf neu aeaf:

"B–b–b–b–boooorrrrre d–d–d–da. S–s–s–s–sach chi l–l–l–l–lec–c–cio p–p–p–p–prynu B–b–b–b–beibil? N–n–n–n–neu g–g–g–g–ga i dd–dd–ddarllan o i chi?"

Byddai papur pum punt yn ei law mewn chwinciad!

Yn anffodus cafodd 'rhen Dic ddamwain angheuol yn 1973 wrth wneud *sponsored parachute jump* efo aelodau clwb Buffalos Botwnnog. Roedd 'na ymgyrch i godi arian i'r World Wildlife Trust er mwyn mabwysiadu morfil! Doedd gan Yncl Dic nac Anti Mabel ddim plant ac felly roedd y ddau'n meddwl buasai mabwysiadu morfil o leiaf yn rhoi esgus iddynt i fynd i Steddfod yr Urdd.

Beth bynnag, bore'r naid fawr bu Yncl Dic wrthi fel lladd nadroedd yn cael hyfforddiant gan rhyw foi oedd wedi bod yn Sarjant yn y Salvation Army. Doedd Dic ddim yn rhyw hoff iawn o uchder, felly roedd angen canolbwyntio dybryd, ond roedd 'na aelodau eraill o Buffalos Botwnnog yno ac roedd yr *esprit de corps* yn uchel.

Clywai Yncl Dic gyfarwyddiadau'r hyfforddwr yn tincian yn ei glustiau:

"I fyny i 30,000 o droedfeddi. Pan fydd y gola'n troi o goch i wyrdd, neidio!"

Ar ôl neidio roedd yn bwysig edrych a oedd y prif barasiwt 'di agor, felly roedd y Buffalos i gyd wedi bod wrthi drwy'r bora fel parti llefaru:

"1000, 2000, 3000, check canopy."

Unwaith eto:

"1000, 2000, 3000, check canopy."

Os nad oedd y canopi wedi agor yna roedd yn rhaid '*deploy emergency chute*'.

'Rôl cinio ysgafn o salad a dwy sleisan o *tongue* daeth yr amser i gychwyn. Roedd Anti Mabel wedi rhag-weld y gallai ambell un o'r buffs fod yn tynnu lluniau gogyfer â'r papur bro a'r *Buffalos Gazette* felly roedd wedi gwisgo Dic yn daclus iawn – crys Ralph Lauren pinc efo coler a cuffs gwyn a throwsus khaki efo lastig ar waelod y coesau.

"Jest rhag ofn," medda hi, "i Dic gael rhyw *sudden bowel movement at 25,000 feet.*"

Roedd diwrnod y cwest yng Nghroesoswallt yn hen ddiwrnod digon gwlyb a rhyw hen niwl mân yn hongian dros fynyddoedd y Berwyn.

Yn ôl adroddiad llygad dyst oedd wrthi'n ddygn yn teneuo maip mewn cae y tu allan i'r Amwythig, glaniodd Yncl Dic ar gyflymder o dri chan milltir yr awr heb 'run parasiwt, yn gweiddi,

"T–t–t–t–tw–tw th–th–th–th–owsand…!"

Dameg y Ddau Bowdwr Golchi

Yn y ddameg yma rwyf yn darogan nad gwledydd fydd yn mynd i ryfel yn y dyfodol ond yn hytrach cwmnïau masnachol.

Mewn tyddyn bychan un corn heb wres canolog na *damp proof membrane*, ganed 13 o blant i Cledwyn Wood a'i wraig, Balsan. Roedd eisioes deg o hogiau wedi cyrraedd aelwyd Tyddyn Smirnoff cyn i'r newyddion ddod fod Balsan Wood wedi rhoi genedigaeth i dri bachgen bochgoch arall.

Roedd y diwrnod pan ddaeth Maldwyn, Medwyn a Selwyn adra at eu brodyr Sulwyn, Selwyn, Islwyn, Heddwyn, Bradwyn, Oswyn, Alwyn, Elwyn, Tecwyn a Gerwyn yn ddiwrnod mawr yn y cwm.

Maldwyn oedd yr olaf anedig ac felly fo oedd brawd rhif 13! Roedd yr ysgrifen ar y mur yn gynnar iawn i'r hen Mald lle roedd anlwc yn y cwestiwn. Yn un o dripledi, y fo oedd yn cael y botel bob amser bwydo. Ychydig wyddai trigolion Cwmcaudyfalog y byddai Maldwyn Wood, brawd Sulwyn, Selwyn, Islwyn, Heddwyn, Bradwyn, Oswyn, Alwyn, Elwyn,

Tecwyn, Medwyn, Selwyn a Gerwyn Wood, rhyw ddiwrnod yn chwarae rhan bwysig mewn Armagedon Niwcliar enbyd.

Pan fu i ferch o Rostrehwfa dorri ei galon 'rôl noson yn ffair Cricieth, ac yn fuan wedyn cael ail am ei domatos yn sioe amaethyddol a garddwriaethol Llanuwchllyn, penderfynodd Maldwyn Wood droi ei gefn ar dawelwch y byd yng Nghwmcaudyfalog ac ymuno â'r fyddin er mwyn cael gweld y byd a chael triniaeth ddeintyddol am ddim.

Yma mae'r stori yn cychwyn!!

Un diwrnod, roedd dwy fyddin fawr yn wynebu ei gilydd mewn cae yn Nefyn. Roedd Cadfridog mawr tew yng ngofal pob byddin a doedd pethau ddim yn edrych yn rhy dda i'r un o'r ddau. Roedd wedi bod yn haf gwlyb ac oer − mor wlyb ac oer fel bod pob gwely a brecwast a phob gwesty yn cwyno yn o arw am y diffyg ymwelwyr, ac ambell ffarmwr ar Benrhyn Llŷn heb gychwyn ar y cynhaeaf gwair tan ddiwedd Awst. Yn wir, yn ôl pob sôn, roedd Butlins wedi diswyddo tair o ferched glanhau, dau Redcoat ac yn cynnig tri am bris dau ar benwythnos mewn *chalet superior deluxe.*

Roedd y Cadfridog tew, a'i fyddin oedd yng ngwaelod y cae, ar bigau'r drain. Roedd ei archeb am *long johns* gaeafol Damart yn hwyr ac roedd yn bryderus efallai fod bandits wedi cael gafael ar ei ddillad isa yn Llithfaen ac y byddai ei ddynion yn methu â

dal yr oerfel am lawer mwy. Roedd ei feddyg Ffrengig, Dr Sherbert Le Mon, eisoes yn cwyno fod 'na lawer o'r dynion efo'u trwynau yn rhedeg, a bod rhyw hen beswch sych arnyn nhw a'i fod yn poeni am ambell un 'fo llosg eira. Doedd y Cadfridog ddim yn gweld ei hun yn gallu parhau â'r frwydr yn erbyn y fyddin yn nhop y cae yn Nefyn.

Ar yr un pryd, ym mhen ucha yr un un cae, roedd y Cadfridog tew arall ar bigau drain gwahanol. Roedd ei ddynion i gyd â rhyw annwyd pen ac ambell achos o *trench foot* a dolur annwyd. Ers i cemist Nefyn gau am y gaeaf a'r perchennog wedi mynd i Torremolinos i fyw efo dynas o'r Bermo oedd wedi colli ei gŵr mewn damwain angheuol wrth roi dillad ar lein, roedd ei gyflenwad wythnosol o Venos a Fisherman's Friends wedi gorffen a phethau'n edrych yn ddrwg. Doedd y Cadfridog ddim yn gweld ei hun yn gallu parhau â'r frwydr yn erbyn y fyddin yng ngwaelod y cae yn Nefyn.

Yn syth ar ôl paned deg ar rhyw ddydd Mercher

gwlyb a diflas, a hitha yn *half day closing* yn siopa dre, dyma'r Cadfridog cyntaf yn gorchymyn i'w sarjant, Dysewin Jones, (o Ddyserth yn wreiddiol ond wedi symud i Dwygyfylchi pan oedd yn 35 oed i gael ei fagu gan ei nain):

"Cwyd y faner wen. Dwi wedi cael llond bol."

Ar union yr un amser, dyma'r ail Gadfridog yn gorchymyn i'w sarjant, Maldwyn Wood (y bachgen bochgoch o Gwmcaudyfalog oedd bellach wedi ymuno â'r fyddin ar ôl i rhyw ferch dorri ei galon yn ffair Cricieth ac iddo gael ail am ei domatos yn Sioe Llanuwchllyn):

"Cwyd y faner wen. Dwi wedi cael llond bol."

Wedi wythnos, gofynnodd y Cadfridog cyntaf i Sarjant Dysewin Jones o Ddyserth beth oedd wedi digwydd ers iddo godi'r faner wen.

"Wel," meddai Dysewin, "mae 'mreichiau i'n brifo wrth ddal y faner 'ma i fyny a dwi'n meddwl 'mod i isio mynd i'r lle chwech. Fel arall, dim ymateb gan y gelyn."

Yn union 'run pryd, dyma'r ail Gadfridog yn gofyn i Sarjant Maldwyn Wood beth oedd wedi digwydd ers

iddo godi'r faner wen.

"Wel," meddai Wood, "mae 'mreichiau i'n brifo wrth ddal y faner 'ma i fyny a dwi'n meddwl 'mod i isio mynd i'r lle chwech. Fel arall, dim ymateb gan y gelyn."

Anfonodd y Cadfridog cyntaf neges gyda cholomen i'r ail Gadfridog yn dweud,

"Cw cw cwwww cw cccw cw cw ccccw cw ccccw!" (Cyfieithiad – 'Ni wnaeth ildio gyntaf'.)

Daeth y golomen yn ôl gyda neges gan yr ail Gadfridog,

"Cccw cw ccw ccccwwww!" (Cyfieithiad – 'Nage, NI wnaeth ildio gyntaf'.)

Anfonwyd y golomen yn ôl ac ymlaen o un Cadfridog i'r llall drwy'r pnawn yn cario negeseuon yn honni mai y nhw oedd wedi codi'r faner wen ac wedi ildio gyntaf. Erbyn amser te roedd rhaid i'r golomen fynd adra gan ei bod yn noson darts yn yr Aelwyd ac felly bu'n rhaid i'r ddau Gadfridog ddefnyddio'r ffôn.

Roedd y ddau yn honni eu bod wedi codi eu baneri gwyn ac ildio am chwarter wedi deg ar y dydd Mercher yn union ar ôl y bwletin newyddion ar Radio Cymru. Felly roedd 'na *stalemate* wrth i ddwy fyddin ddadlau pwy oedd wedi ildio gyntaf, y naill neu'r llall! Erbyn hyn roedd breichiau Sarjant Wood a Sarjant Jones o Ddyserth yn brifo'n ofnadwy.

Y noson honno bu'r ddau Gadfridog yn crafu eu

pennau yn o arw. Ar ôl golchi eu gwalltia stopiodd y ddau y crafu. Y bore wedyn, gwnaeth y ddau gyfarfod hanner ffordd i lawr y cae a bu dadlau mawr pwy oedd wedi ildio gyntaf. Erbyn hyn roedd y ddwy fyddin ar bigau'r drain isio mynd adref cyn y penwythnos.

Mewn fflach o ysbrydoliaeth dywedodd un Cadfridog fod ei faner wen ef yn fwy na baner wen y llall ac mai nhw ddylai gael ildio gyntaf. Bu'n rhaid galw am dâp mesur o siop ddillad dynion Trefor Jones, Rhuthun, a daeth dyn bach neis iawn oedd yn arbenigo mewn 'inside legs' draw i fesur y ddwy faner a datganodd fod y ddwy yn union yr un hyd a lled. Aeth y dyn bach o Trefor Jones adra'n hapus iawn gan iddo werthu dwy bolo neck, dau bâr o sanau gwlân a thri crys neilon *drip dry*. Roedd breichiau Sarjant Wood a Jones yn brifo go iawn erbyn hynny.

Mewn fflach arall o ysbrydoliaeth dywedodd yr ail Gadfridog fod baner wen ei fyddin o'n wynnach na baner byddin y cadfridog arall ac mai nhw felly ddylai gael ildio gyntaf. Gwadodd yr ail Gadfridog hyn a bu'n rhaid iddynt gael Llywydd Merched y Wawr yno i feirniadu baner pwy oedd wynna. Dyma'r tro cyntaf i'r Llywydd gael cyfle i feirniadu cystadleuaeth baner wen gan iddi arbenigo ar hyd ei hoes mewn *chutneys* a bowlio deg. Ar ôl dwys ystyriaeth barnodd fod y ddwy faner cyn wynned â'i gilydd. *Stalemate* eto.

Yn dilyn hynny, daeth cystadleuaeth y dillad gwely gwynna yn rhan annatod o sasiwn flynyddol

Merched y Wawr gan ddisodli cystadleuaeth gwnïo twll botwm a oedd wedi mynd yn isel iawn ei safon dros y blynyddoedd gyda llawer o dyllau blêr a llac yn ymddangos. Daeth Llywydd Merched y Wawr yn gryn seléb hefyd yn dilyn gwneud cyfweliad ar gyfer *Wedi 3* a bu'n cyfrannu'n gyson i raglen Jonsi yn rhoi tips wythnosol ar sut i ddefnyddio finag i gael gwared ar staens oddi ar gynfasau gwely ac ati.

Yn dilyn cryn sylw yn y wasg a'r cyfryngau cymerwyd cryn ddiddordeb yn y sefyllfa oedd wedi datblygu yn Nefyn yn enwedig ar ôl yr honiad a wnaed gan ddau o brif gwmnïau powdwr golchi y byd fod baner un fyddin yn wynnach na'r llall.

Roedd Cadeirydd tew cwmni powdwr golchi Sudso yn benwan fod Cadeirydd tew cwmni powdwr golchi Whiteowash yn honni bod y faner oedd wedi ei golchi â Whiteowash yn wynnach na gwyn.

Doedd dim ots gan Maldwyn Wood achos roedd ei freichiau yn brifo'n ofnadwy erbyn hyn ac roedd yn flin am ei fod wedi methu rownd gynderfynol *Tipit* ar Sky. Roedd yn gwylio *Tipit* ar Sky yn hytrach na S4C am ei fod yn honni ei fod angen yr isdeitlau i ddeall beth oedd yn digwydd.

Fe dyfodd y ffrae rhwng cwmni Sudso a Whiteowash yn greisis byd eang oherwydd y ffrae am glaerwyndeb y fflag. Wsnos i ddydd Llun wedyn prynodd cadeirydd Sudso a chadeirydd Whitewash fom atomig yr un ar eBay.

Dydd Mawrth wedyn roedd hi'n ddiwadd y byd ac roedd Maldwyn Wood yn reit falch achos roedd ei freichiau yn *really* brifo erbyn hynny ar ôl dal y faner mor hir.

Nid yw'r awdur yn derbyn unrhyw gyfrifoldeb am y foeswers uchod ac os oes rhywun yn ei deall yna a fyddwch yn fodlon rhoi crynodeb dealladwy yng ngholofn bersonol y Daily Post *bob dydd Llun am 3 blynedd. Diolch.*

Trafferth Mewn Tafarn

Aeth hwyaden at y bar mewn tafarn yn y Bala a gofyn i'r barman,

"Sgynnoch chi *fish*?"

"Nag oes," meddai'r barman. "Tafarn 'di hon. 'Dan ni'n gwerthu cwrw a wisgi a hefyd cnau a chreision ond 'dan ni ddim yn gwerthu *fish*."

Drannoeth, daeth yr hwyaden yn ôl tua'r un amser a gofyn i'r barman,

"Sgynnoch chi *fish*?"

"Ylwch," meddai'r barman. "Tafarn 'di hon. 'Dan ni'n gwerthu cwrw a wisgi a hefyd cnau a chreision ond 'dan ni ddim yn gwerthu *fish*."

Bore wedyn union 'run amser dyma'r hwyaden i mewn eto a holi,

"Sgynnoch chi *fish*?"

"Yli," meddai'r barman, "dwi 'di deud wrthat ti ddoe, tafarn 'di fama. 'Dan ni'n gwerthu cwrw a wisgi a hefyd cnau a chreision ond DIM *fish*. Rŵan, paid â dod yma eto i swnian neu mi fydda i'n hoelio dy draed di wrth y llawr fan hyn."

Drannoeth, dyma'r hwyaden i mewn eto a chyn iddi ddeud gair dyma'r barman yn gweiddi,

"Yli, dwi 'di deud wrthat ti ddoe, os ddoi di i

mewn yma eto i swnian am *fish* mi fydda i'n hoelio dy draed di wrth y llawr, felly ALLAN â ti."

Bore wedyn dyma'r hwyaden i mewn eto a chyn i neb ddeud gair dyma hi gofyn i'r barman,

"Sgynnoch chi hoelion?"

"Nag oes," meddai'r barman. "Sgenna i ddim hoelion."

"Reit dda," meddai'r hwyaden. "Sgynnoch chi *fish*, ta?"

Immac

Ymae enw Magi Ann Penmachno erbyn hyn yn adnabyddus yn y byd magu a hyfforddi cŵn, ac yn wir erbyn hyn mai ganddi ambell gwpan a *rossette* a enillodd yn sioe gŵn enwog Crufts a sioe flynyddol Llangower. Mae wedi ennill 'Best in show' droeon gyda Tegid Terminator ei shih-tsu ac wedi dangos ei shiwawa ar hyd a lled y wlad. Ond cychwyn digon simsan gafodd Magi Ann a bu'r blynyddoedd cynnar yn Crufts yn galed iawn iddi.

Bu am flynyddoedd yn methu â chyrraedd y brig ac rodd hi o fewn dim i ddigalonni ac arallgyfeirio i fagu caneris a chocatŵs. Mewn gwendid rhyw ddiwrnod, ar ôl cael siomiant unwaith eto gyda'i shiwawa hir-flew yn sioe Nefyn, aeth at y beirniad byd enwog Major Winchester Cathedral ac esboniodd ei bod yn cael trafferth gyda'i shiwawa ond doedd hi ddim cweit yn gallu rhoi ei bys ar y broblem.

Er yn groes i reolau sefydlog y Kennel Club mi gytunodd y Major i gael golwg sydyn ar ei shiwawa a'i rhoi ar ben ffordd. Gyda llygaid craff a blynyddoedd o brofiad, gwelodd y Major beth oedd y broblem yn syth. Roedd shiwawa Magi Ann efo blew ar ei ên ac fel mae pawb yn gwybod mae'n bwysig i ên shiwawa fod yn llyfn fel pen ôl babi.

"O," meddai Magi Ann, "os felly, bydd rhaid imi gael tweezers a thynnu'r blewiach o'u gwraidd."

Bu bron i'r Major dagu ar ei sosej rôl oherwydd pe bai Magi Ann yn tynnu'r blewiach o'u gwraidd byddai hynny'n gwaethygu'r broblem a byddai ganddi shiwawa efo locsyn mewn chydig wythnosau.

"Dach chi 'di clwad am eli tynnu blew? Rhwbiwch tipyn ar ei ên o ac mewn wsnos mi fydd yn llyfn ac yn barod am unrhyw sioe yn unrhyw le."

Wrth ddychwelyd adra i Benmacho stopiodd Magi Ann yn siop y cemist yn y Bala gyda'r bwriad o brynu tiwb maint teuluol o eli tynnu blew.

"Hwn ydy'r gorau ar y farchnad," meddai Siôn, y pen fferyllydd. "Blaen bys o hwn a fydd 'na 'run blewyn ar ôl erbyn y bore. Dach chi wedi defnyddio hwn o'r blaen?"

Ysgwydodd Magi Ann ei phen yn negyddol.

"Wel," meddai Siôn, "mi fuaswn i'n eich cynghori i beidio â gwisgo teits am ryw ddiwrnod ar ôl ei roi ar eich coesau."

Gwenodd Magi Ann gan ategu mai ei bwriad oedd rhoi tipyn o'r eli gwyn ar ei shiwawa.

"O!" meddai Sion. "Os dach chi am ei roi o ar eich shiwawa faswn i ddim yn reidio beic am rhyw dridiau!"

Cân y Dyn D.I.Y.

Os lympiau yn eich Dulux
Neu flew eich brwsh yn ffein,
Rhowch gynnig arni eto
'Rôl swig o dyrpyntéin.

Mi gollais fy stepladyr
Yn neintîn ffiffti thri
Ar ôl papuro'r tŷ 'cw,
Mam y wraig a fi.

Am amser ar ôl hynny
Fe gollwyd yr hen wraig.
Yn wir, mi ges i lonydd
Am b'thefnos gan y ddraig.

Ond ar ryw fore Sadwrn
A finnau'n mynd i'r ardd
Fe welais rhyw symudiad
O dan y papur hardd,

A chafwyd y fam-yng-nghyfraith
Ar wal pen draw yr *hall*
Dan bapur anaglypta
Sy'n gwrthod sticio 'nôl.

A phan mae'r wraig yn bygwth
Cael dyn drws nesa draw,
Mi fydda inna'n gweiddi,
Mae'n llawer gwell i ddyn wneud ei hun!

Cân a berfformiwyd pan yn aelod o'r 'Parti Arall', y
geiriau gan Eleri Llwyd ac roedd y dôn yn amrywio
bron bob tro gan 'mod i'n tôn deaf.

Jôcs Amrywiol

Trist iawn oedd y newydd am Dai Jones Llanilar. Wrth gerdded ar ochor y ffordd yn Machynlleth fe fu Dai mewn damwain wrth i *steamroller* Cyngor Powys fynd drosto. Treuliodd 'rhen Dai dair wythnos yn Ysbyty Bronglais yn Ward 8, 9, 10 ac 11.

★★★

Tra oeddwn i mewn ciw yn aros am y bws o'r Bala i'r Bermo un diwrnod sylwais fod y ferch ifanc ar flaen y ciw yn hynod siapus ac yn gwisgo sgert hynod o gwta a thyn. Yn wir, pan ddaeth y bws ni fedrai'r feinwen godi ei choes yn ddigon uchel i'w galluogi i ddringo ar y bws. Er mwyn ceisio delio â'r broblem mae'n rhaid ei bod wedi meddwl petai'n agor ychydig o fotymau yng nghefn y sgert dynn y buasai'n haws iddi godi ei choes. Aflwyddiannus oedd ei chynnig cyntaf felly dyma hi'n gwthio ei dwylo y tu ôl i'w chefn unwaith eto er mwyn llacio rhyw fotwm neu ddau arall yn ychwanegol.

Ar ôl nifer o gynigion aflwyddiannus i ddatod y botymau a chodi ei choes dyma was ffarm o Lanuwchllyn yn cydio yn ei chanol a'i chodi ar y bws yn reit ddi-lol. Aeth y feinwen yn wallgo.

"How dare you!" meddai. "Be dach chi'n neud yn gafael amdana i fel hynna? Dwi ddim yn hapus o gwbwl yn cael dieithryn fel chi yn gafael yndda i fel 'na."

"Wel," meddai'r ffarmwr rhadlon. "Ro'n i'n rhyw feddwl bo ni hanner nabod ein gilydd erbyn hyn. Dach chi 'di agor fy malog i deirgwaith yn barod."

★★★

Yn ôl haneswyr, dywedwyd y jôc gyntaf mewn ogof ar Fannau Brycheiniog yn ystod Oes y Cerrig.

"Yggg ygggg ygggg uggg," meddai un o ddynion yr ogof.

"O taw," medda'r llall. "Dwi 'di chlywad hi o'r blaen."

★★★

Wrth yrru adra rhyw bnawn o Gaerdydd i'r Bala ar hyd yr A470 daeth rhyw blwc o gwsg drosta i a rhaid oedd tynnu mewn i'r lei bai tu allan i Lanelwedd am rhyw fforti wincs. Roeddwn newydd lithro i drwmgwsg tawel pan gefais fy neffro'n ddisymwth gan gnoc ar y ffenest. Yno, roedd lonciwr, ac roedd o'n dal i redeg yn yr unfan pan ofynnodd,

"Sgiwsiwch fi, dach chi'n digwydd gwybod faint o'r gloch ydy hi?"

"Nagdw," meddais yn reit flin am fy mod wedi cael fy neffro. Dyma setlo i lawr eto gan feddwl cael rhyw hanner awr o gwsg cyn ailgychwyn ar y daith tua'r Bala. Wrth i gwsg ailgydio dyma gnoc arall ar ffenest y car. Lonciwr arall ac roedd hwn isio gwybod os oeddwn yn gwybod faint o'r gloch oedd hi. Digwyddodd hyn dair gwaith ac yn y diwedd ysgrifennais nodyn a'i roi ar ffenest y car.

TYDW I DDIM YN GWYBOD FAINT O'R GLOCH YDY HI !!!!!!

Fel roeddwn i unwaith eto yn llithro i drwmgwsg melys dyma gnoc arall ar y ffenest. Lonciwr arall. Agorais y ffenest yn flin a dyma fo'n dweud,

"Chwarter wedi un!"

Aaaaa!

★★★

Cacwn

Roedd Wmffra Huws a'i wraig Marged wedi bod yn ffermio tyddyn bychan yng Nghwm Croes, Llanuwchllyn, ers hanner can mlynedd ac wedi penderfynu gwerthu a symud i lawr i'r pentref i fyw. Gofynnwyd pris uchel am y tyddyn ac yn dilyn hysbysebu yn y *Birmingham Leader* daeth galwad i ddeud fod rhywun yn dod draw i weld y tyddyn gan feddwl ei brynu. Pan gyrhaeddodd y Jaguar y buarth roedd Wmffra Huws yno yn disgwyl yn ei ddillad gorau. Teg dweud mai gwan oedd Saesneg Wmffra.

"How do you do and welcome to tŷ ni!" meddai Wmffra.

Roedd Wmffra wedi paratoi ei araith agoriadol yn barod a cychwynnodd arni'n ddiymdroi.

"Over here we have the beudy, wa, and here is big to keep two cows and tri neu bedwar llo. The tŷ gwair over there is good and sych even in the bleak midwinter. The house over there is big and Marged and me is very happy there. Marged is very clean and change dillad gwely bob wsos. Here we have the horchard with lots of coed fala for making cacen and pwdin."

Yn amlwg roedd y Sais yn hynod hapus gyda'r hyn a welodd ac yn wir, estynnodd am ei lyfr siec ac am dalu y £350,000 heb ddim dadlau.

Yn sydyn, edrychodd i fyny a gwelodd nyth cacwn.

"Oh dear," meddai. "I'm afraid I'm allergic to bee stings and so I can't make you an offer for this place."

"Oh, don't you worry," meddai Wmffra. "He is friendly bees and him not pigo Marged and me never ever."

Roedd rhen Wmffra yn gweld ei hun yn colli sêl os nad oedd yn reit chwim ei feddwl.

Er mwyn lleddfu ofnau y Sais fod y cacwn yn gyfeillgar, cytunwyd fod Wmffra yn ei glymu'n noethlymun yn sownd yn y goedan afalau yn union o dan y nyth cacwn. Os byddai'r cacwn yn pigo yna byddai'r Sais yn cael y tyddyn am hanner pris. Am ei bod yn ddeg o'r gloch ac yn amser paned aeth Wmffra i'r tŷ at Marged am baned a thamed o fara brith.

Hanner awr yn ddiweddarach pan ddaeth Wmffra allan yn ôl at y goeden afalau roedd y Sais yno yn hongian yn ddiymadferth ac yn hollol anymwybodol. Meddyliodd Wmffra yn syth fod y cacwn 'di pigo'r Sais ac wedi ei ladd o.

"Is the cacwn pigo you?"

Yn ara deg bach agorodd y Sais un lygad ac edrych yn druenus ar Wmffra,

"No, the cacwn did not pigo me, but tell me one thing. Hasn't that calf got a mother!!"

★★★

Mwy o Jôcs

Daeth Wili Jones adra rhyw noson wedi cynhyrfu'n lân a chyhoeddodd wrth ei fam ei fod wedi syrthio mewn cariad ac am briodi.

"Am hwyl, Mam, dwi am ddod â thair merch adra nos fory a dwi am i chi ddyfalu pa un dwi am briodi."

Cytunodd y fam.

Y noson wedyn daeth â thair merch ifanc hynod o dlws a siapus adra i gyfarfod ei fam. Eisteddodd y tair ar y soffa a bu pawb yn sgwrsio am ychydig cyn i'r mab ofyn i'w fam rŵan ddyfalu pa un o'r tair yr oedd am ei briodi.

"Yr un ganol," meddai ei fam heb oedi dim.

"Anhygoel!" meddai'r mab. "Sut oeddach chi'n gwybod?"

"Hawdd," atebodd y fam. "Dwi ddim yn ei lecio hi!"

★★★

Roedd gŵr a gwraig yn mynd am dro drwy gefn gwlad rhyw bnawn Sul. Yn anffodus, roedd 'na ffrae wedi bod ac ni dorrwyd gair am tua ugain milltir. Wrth basio cae yn llawn o foch, geifr a dau ful dyma'r gŵr yn gofyn i'r wraig,

"Dy deulu di?"

"Ia," meddai'r wraig, "yng nghyfraith!"

★★★

Dywedodd gŵr wrth ei wraig un bore ei fod yn methu deall sut yr oedd hi'n gallu bod mor brydferth ond eto mor dwp.

"Wel," meddai, "dwi'n brydferth fel fy mod *i* yn dy ddenu di, a dwi'n dwp fel dy fod *ti* yn fy nenu i!"

★★★

Doedd gŵr a gwraig heb siarad ers rai misoedd pan gofiodd y gŵr fod ganddo gyfarfod pwysig iawn y bore canlynol. Roedd mor bengaled a ddim am fod y cyntaf i dorri ar y tawelwch fel y gadawodd nodyn ar y ffrij cyn mynd i'w wely.

FEDRI DI ALW ARNA I AM 5 BORE FORY.

Bore wedyn deffrodd am 9 y bore wedi cysgu'n hwyr ac wedi colli ei gyfarfod pwysig. Pan aeth at y ffrij gwelodd nodyn:

DEFFRA! MAE'N 5 O'R GLOCH.

Sticeri Cefn Car

Os ti'n gallu darllen hwn dwi 'di colli'r garafán.

Mae moch yn hedfan ond dwi'n dreifio.

Pwyll – mae'r gyrrwr yn rhoi'i cholur arno rŵan.

Ysgub 'di cerbyd arall y wraig.

Dwi ddim mor ddwl ag rwyt ti'n edrych.

Mae Cysill yn ffyntestic!

Peidiwch byth byth byth byth byth byth ag ailadrodd eich hun hun.

Ar y llaw arall – mae gennych fysedd gwahanol!!

Safle we y wraig **www.ywrach.co.uk**

Os ti'n gallu darllen hwn rwyt ti'n rhy agos.

Stori Wir o
Ysgol Feithrin y Bala

"Allwch chi helpu fi i wisgo fy sgidia plîs, Anti Enid?" meddai'r bachgen bach wrth ei athrawes ysgol feithrin. 'Rôl gwthio a thynnu a gwasgu llwyddodd i wisgo'r esgidiau ac roedd Anti Enid wedi chwysu braidd a'i hwyneb yn reit goch. Bu bron iddi grio pan ddywedodd yr hogyn bach,

"Anti Enid, mae'n sgidiau i ar y droed anghywir."

Edrychodd Anti Enid ac yn wir roedd yr esgidiau ymlaen yn groes. Esgid dde ar droed chwith…

Gyda chryn ymdrech ar ran y ddau llwyddodd Anti Enid i dynnu'r ddwy esgid a'u rhoi yn ôl unwaith eto y ffordd gywir. Roedd Anti Enid yn wirioneddol chwysu erbyn hyn a'i gwaed i gyd wedi mynd i'w phen braidd rhwng yr ymdrech a'r ffaith ei bod wedi plygu drosodd yn ei dwbl i gyrraedd traed y plentyn.

Wedi clymu'r creiau, dyma'r bychan yn dweud,

"Anti Enid, dim sgidia fi 'di'r rhain."

"Wel pam sat ti 'di deud," meddai Anti Enid gan ddechrau tynnu'r sgidiau i ffwrdd unwaith eto. Wedi pum munud arall o ymdrech a chryn duchan a chwysu roedd y sgidiau i ffwrdd unwaith eto.

"Sgidiau fy mrawd i ydyn nhw," meddai'r bychan. "Mi wnaeth mam i mi eu gwisgo bora 'ma."

Roedd Anti Enid ar fin cael gwasgfa o ryw fath erbyn hyn ac roedd yr amynedd wedi hen brinhau. Beth bynnag, rywsut neu'i gilydd, llwyddodd i wasgu'r ddwy esgid yn ôl ar draed y bychan. Wedi gorffen, gofynnodd yn flinedig i'r bychan a oedd yn dal i eistedd.

"Rŵan ta, lle mae dy fenig di?"

"Wel," meddai'r bychan. "Dwi 'di stwffio nhw i flaenau fy sgidiau…"

Stori Wir!!!

Un noson rhywle ar y môr rhwng Caergybi a'r Iwerddon roedd capten yr *USS Manhattan*, ail long ryfel fwyaf y byd, ar y *bridge* pan welodd olau yn syth o'i flaen.

Gorchmynnodd i swyddog y radio anfon neges:

"Newidiwch eich cwrs 10° i'r Dwyrain."

Daeth neges yn ôl yn dweud,

"Newidiwch chi eich cwrs 10° i'r Gorllewin."

Roedd y Capten yn flin ac anfonodd neges arall yn ôl yn syth.

"Fi ydy capten yr *USS Manhattan*, yr ail long ryfel fwyaf yn y byd. Newidiwch cich cwrs 10° i'r Dwyrain ar unwaith. Mae hynna yn orchymyn."

Daeth neges yn ôl bron yn syth.

"William Huws dwi, yn wreiddiol o Nefyn. Well i chi newid cich cwrs 10° i'r Gorllewin."

Bu bron i'r capten golli ei limpyn ac anfonodd neges eto.

"Ylwch, llong ryfal ydi hon ac mae gen i arfau niwcliar a phob math o arfau eraill. Tydw i *ddim* yn bwriadu newid fy nghwrs i chi."

Daeth neges yn ôl.

"Ar ddiwedd y dydd, eich penderfyniad chi fydd

hynny, ond dwi'n meddwl ei bod yn bwysig nodi mai goleudy 'dan ni!"

★★★

Mae cadw'n ffit yn bwysig iawn i bobol o bob oed, meddan nhw. Wel, mae jogio'n beth iachus iawn i chi ac yn rhywbeth y gallwch chi gychwyn ei wneud unrhyw oedran. Mi wnaeth hen fodryb i mi gychwyn jogio pan oedd hi 76 oed. Ma hi'n 83 erbyn hyn a does gennon ni ddim syniad ble mae hi.

★★★

Darganfu fy ffrind fod ei fam yn gallu taflu ei llais. Roedd wedi meddwl bod y ci wedi bod yn dweud wrtho am saethu ei dad ers deng mlynedd.

★★★

Roedd Yncl Dic wastad yn credu y dylid ymladd tân gyda thân. Dyna pam gafodd ci daflu allan o'r frigâd dân.

★★★

Pam fod cŵn yn casáu i chi chwythu yn eu hwynebau ond pan maent yn mynd am dro yn y car maent wrth eu boddau yn rhoi eu pen allan drwy'r ffenest?

★★★

Mi fu'n rhaid imi fynd â Jac y ci 'cw at y milfeddyg yr wythnos diwethaf am nad oedd yn bwyta yn iawn. Dyma'r milfeddyg yn ei godi yn ei freichiau ac yn edrych i fyw llygaid yr hen Jac. 'Rôl pum munud, trodd y milfeddyg ei olwg arna i gan ochneidio a dweud y buasai'n rhaid rhoi Jac i lawr.

"O, nefoedd," medda finna'n reit ddagreuol. "Does 'na ddim allwch chi'i neud? Pam fod rhaid i chi'i roi o i lawr?"

"Wel," meddai, "am ei fod o'n drwm!"

★★★

Mrs Huws a Mrs Jones yn cael sgwrs rhyw fore dydd Llun wrth i'r naill a'r llall roi'r dillad ar y lein i sychu.

"Be 'di hanes Tomos chi erbyn hyn?" meddai Mrs Huws. "Ydi o dal yn y coleg 'na yn Aberystwyth?"

"Duwch, nacdi, ma Tomos erbyn hyn yn dwrne yng Nghaerdydd ac yn gwneud reit dda drosto fo'i hun," meddai Mrs Jones. "Deudwch wrtha i, Mrs Huws, be 'di hanes Richard chi erbyn hyn? 'Di o mewn gwaith, ta be?"

"Duwch, mae Richard wedi gweithio ei ffordd yn reit uchel i fyny yn yr Eglwys yng Nghymru, Mrs Jones bach. Mae o yn Ganon, 'chi."

"Wannwyl!" meddai Mrs Jones mewn syndod. "Mae o 'di gneud yn arbennig felly, achos 'Pistol oedd Paul, de?"

★★★

Cafodd Yncl Dei ei ddal gan yr heddlu ar ôl lladrata calendr o siop W H Smiths yng Nghaernarfon... cafodd o 12 mis!

★★★

Ar y ffordd i Wrecsam y diwrnod o'r blaen cefais fy stopio gan blisman oedd yn edrych dim hŷn na 12 oed.

"Tyrd allan o'r car 'na!" medda fo wrtha i'n reit ddig'wilydd. "Sgen ti'm gola coch ar y cefn ar ochor y dreifar."

Wel, roeddwn i'n gwybod fod genna i weiren yn rhydd yn rwla, felly dyma fi'n rhoi cic reit galed i'r bympar ôl a dyma'r golau ymlaen. Gwenais yn holl wybodus ar y cyw plisman.

"Clyfar iawn," medda fo. "Cicia'r *windscreen* rŵan, ma dy leisians di 'di gorffen."

★★★

Joey R.I.P.

Byddaf yn beio fy hun yn amal am farwolaeth Joey, y bwji gwyrdd. Un diwrnod, cefais alwad ffôn i'r swyddfa.

"Helô," meddai rhyw lais bach siomedig. "Joey sydd yma a dwi'n siomedig iawn dy fod wedi anghofio fy mhen-blwydd."

Roedd Joey'n iawn. Wrth gwrs, Gorffennaf 24 oedd diwrnod ei ben-blwydd ac roeddwn wedi llwyr anghofio. Ceisiais ymddiheuro ar unwaith ond doedd dim yn tycio.

"Ydi hi'n iawn i mi gael rhyw barti bach y prynhawn 'ma," medda fo, "ac ella cael *few birds round*?"

Wel, doeddwn i ddim mewn sefyllfa i wrthod nag oeddwn, ac roeddwn i'n gwybod bod y caets yn lân gan fy mod wedi ei lanhau yn drylwyr y noson cynt. Polish ar ei gloch o, a *cuttlefish* newydd ar y papur tywod arbennig 'na o Petworld ar gyfer gwaelod y caets.

Pan gyrhaeddais adra o'r gwaith roedd y parti yng nghaets Joey yn ei anterth, a'r gwin a'r cwrw'n llifo ac ambell ganeri a chocatŵ yn hynod swnllyd. Beth bynnag, calla dawo a wnes i ddim unrhyw sylw ar y pryd. Yn hwyrach ymlaen mentrais draw at Joey i edrych sut oedd y parti 'di mynd ac i weld fod pawb 'di mynd adra'n saff. Cefais fraw o weld Joey'n gorwedd ar waelod y caets yn gafael yn dynn yn ei ben-glin.

"Beth sy'n bod?" medda fi wrtho.

"Genna i ofn mod i di cael rhyw lasiad o win yn ormod ac wrth wneud yr hoci-coci efo Gwenan y ji-binc mi syrthiais oddi ar fy nghlwyd a dwi'n meddwl mod i di torri fy nghoes."

Trwy ryw lwc, dwi'n ffan mawr o Rolf Harris *Animal Hospital* felly roedd genna i rhyw syniad be i'w neud. Dyma fi'n codi 'rhen Joey yn dyner o waelod y caets a mynd â fo i fwrdd y gegin. Estynnais edau gotwm a dwy fatsien ar gyfer gwneud sblint am goes yr hen greadur. Clymais y ddwy fatsien gyda'r cotwm yn dyner am ei goes ac wedi rhoi diod bach o laeth cynnes a hanner aspirin iddo, dychwelais Joey yn ôl a'i roi'n dyner ar waelod ei gaets. Dywedais wrtho mai'r peth gorau fyddai iddo geisio cymryd rhyw gam neu ddau er mwyn cadw'r cyhyrau'n ystwyth.

Fel yr oedd yn llusgo ei goes ddrwg ar hyd y papur tywod ar waelod y caets daeth yn amlwg i mi mai camgymeriad oedd defnyddio dwy fatsien i wneud y sblint am ei goes... Aeth Jocy, ffwt, i fyny mewn fflamau. Cr'adur !!!

★★★

Roedd cybydd o Gaergybi newydd golli ei wraig ac aeth i swyddfa'r papur newydd lleol i roi rhywbeth yn y golofn marwolaethau.

"Be fasech chi'n hoffi ei roi?" meddai clerc y swyddfa.

"Myfanwy 'di marw," meddai'r cybydd.

"Wel," meddai'r clerc, "mi gewch chi roi ychydig mwy na hynna heb ddim cost ychwanegol."

"Wel," meddai'r cybydd. "Beth am 'Myfanwy 'di marw. Ford Fiesta ar werth'?"

Y Cyrri Poetha

Dwi ddim yn lecio bwyd sbeisi. Wel, dyw bwyd sbeisi ddim yn lecio fi a deud y gwir. Be dwi'n methu â dallt am gyrris ydy os 'di o'n boeth yn mynd mewn, mae o'n mynd yn boethach wedyn, rhywsut!!

Mi gafodd y wraig 'cw afael mewn rhyw rysáit am gyrri findalŵ a dyna oedd yn disgwyl amdanaf i rhyw nos Fercher – y findalŵ cyw iâr 'ma a'r crisps mawr 'na, panydams ne rwbath dach chi'n eu galw nhw.

Dyma fwyta'r sgrwtsh yn reit ddistaw ac mi gymerodd tua galwyn o ddŵr i dawelu'r fflamau.

Y bore wedyn, roedd yn ddydd Iau, ac mi es yn reit foreol am Awen Meirion, y siop lyfrau Cymraeg yn y Bala, i nôl *Y Goleuad* a rhifyn yr Hydref o *Byd Bwjis*. Wrth ymddiddan â nifer o feirdd a llenorion llcol oedd wedi ymgasglu yno am dalwrn byrfyfyr, cefais beth sy'n cael ei ddisgrifio orau yn "gnoi" yn fy mol (nodyn golygyddol: gwelir yma nad oes cyfieithiad cywir o'r gair 'cnoi' yn yr iaith Saesneg yn y cyd-destun yma. Petaech yn dweud wrth Sais "I had a chewing" fuasai ddim yn neud sens).

Nid cnoi cyffredin oedd hwn. Nid cnoi oedd yn rhoi rhybudd fod angen mynd adref ar fyrder. Dim gobaith, roedd yn debycach i gychwyn y Lombard RAC Rally... 5, 4, 3, 2, 1.

Gofynnais a fyddai modd defnyddio cyfleusterau'r staff yn y siop gan fy mod yn rhag-weld trychineb ar y gorwel, ond adroddwyd fod y toilet yn y siop wedi blocio ers wythnos a'u bod yn disgwyl y plymar o fewn y tridiau nesaf! Rhaid oedd mentro cerdded y ddau gan llath i'r cyfleusterau cyhoeddus yr ochor draw i'r stryd. Heb os, mi gerddais y ddau gan llath gyda'r camau lleiaf posib, heb amser i gyfarch unrhyw un ar y ffordd. Yn wir, roeddwn yn debyg iawn i wiwer yn cario cneuen adra am y gaeaf rhwng bochau ei phen ôl.

Wedi cyrraedd, roedd penbleth yn fy aros. Oherwydd diffyg dealltwriaeth darllen cynlluniau, roedd adeiladwr lleol wedi codi tri ciwbicl yn lle dau yn nhoiledau'r dynion ac felly maent yn hynod gul. Er mwyn arbed amser penderfynais ollwng fy nhrowsus a'm trôns i lawr at fy fferau wrth y basin ymolchi a bacio i mewn i'r stondin. A dyna a fu. Wedi bod yno am gryn amser, wrth edrych i lawr sylweddolais nad oedd pob dim fel y tybiais. Roeddwn yn gallu cyfri pedair troed!! Yn wir, sydyn y sylweddolais fod rhywun yno o 'mlaen i.

Codais yn ddiymhongar a throi rownd i wynebu'r creadur anffodus. Yno, eisteddai gŵr bychan mewn cap stabl yn tynnu'n bleserus ar sigarét *roll your own*. Edrychodd i fyw fy llygaid a dyma fo'n dweud,

"Su'mae, wa!?"

Ceisiais esbonio am y findalŵ a'r wasgfa a mod i'n hynod embaras am beth oedd wedi digwydd.

"Paid poeni dim, wa," meddai gan ddal i dynnu ar y sigarét a oedd bellach yn sownd yn ei wefus isaf. "Mi welais i ti'n bagio i mewn ac mi godais i dy drowsus cyn i ti ista lawr!"

★★★

Mwy o Jôcs Eto!

Byddai llawer o bobol erstalwm yn gwneud eu bywoliaeth trwy werthu nwyddau o ddrws i ddrws. Un felly oedd Yncl Dei. Byddai'n teithio'r wlad yn gwerthu powdwr golchi enwog Sudso o ddrws i ddrws. Roedd Yncl Dei yn dipyn o fardd gwlad ac unwaith y byddai wedi cael mynediad i dŷ a chael gwraig y tŷ i estyn bwcedaid o ddŵr cynnes ac unrhyw ddilledyn budur, byddai'n ychwanegu ychydig o'r Sudso i'r dŵr cynnes a chan ddal y dilledyn yn ddramatig uwch y dŵr, byddai'n llafarganu:

Mewn i'r dŵr,
Allan o'r dŵr,
Fyny at y trwyn,
Glân ac yn fwyn.

Cafodd brofiad anodd iawn un diwrnod pan alwodd ar gwsmer reit anodd yn Aberhosan. Doedd gan y ddynes ddim diddordeb yn ei bowdwr golchi ac yn ôl yr olwg oedd arni doedd hi ddim wedi defnyddio powdwr o unrhyw fath ers amser.

Yn dilyn hir berswâd, llwyddodd Yncl Dei i gael

hanner llond bwced o ddŵr oer, ac wedi ychwanegu ychydig o Sudso gwahoddodd yr hen sguthan i roi unrhyw ddilledyn budur iddo er mwyn arddangos y gwyrthiau yr oedd Sudso yn gallu eu gwneud. Gan rincian drwy'i dannadd aeth i nôl pâr o sanau gwlân ei gŵr.

Mewn i'r dŵr,
Allan o'r dŵr,
Fyny at y trwyn,
Glân ac yn fwyn.

"Da i ddim," meddai. "Dwi ddim isio dim o'ch hen bowdwr drud chi."

Gwelai Yncl Dei hyn yn dipyn o sialens ac unwaith eto gofynnodd am un cynnig arall a'i gwahodd i nôl unrhyw ddilledyn butrach na'r sanau. Y tro hwn aeth i nôl hen drowsus ei gŵr oedd heb weld y golch ers blynyddoedd. 'Rôl ychwanegu rhyw ychydig mwy o'r Sudso parhaodd Yncl Dei:

Mewn i'r dŵr,
Allan o'r dŵr,
Fyny at y trwyn,
Glân ac yn fwyn.

"Da i ddim. Dwi ddim isio dim o'ch hen bowdwr drud chi."

Wel, roedd Yncl Dei a'i gefn at y wal rŵan braidd, a dyma roi'r sialens eithaf iddi.

"Ewch i nôl y dilledyn butraf sydd yn y tŷ i drio."

Clywodd yr hen ddynas yn mynd i fyny'r grisiau a sŵn troedio trwm yn y llofft gefn. Toc, daeth i lawr ac estyn pâr o'i blwmars i Yncl Dei. Maint wast 54 a digon o faint i gynnal Steddfod Llangwm ynddynt petaech yn rhoi polyn yn y canol.

Gwagiodd Yncl Dei y paced cyfan i'r bwced.

Mewn i'r dŵr, (saib)
Allan o'r dŵr, (saib hirach)
Fyny at y trwyn, (saib hirach byth)

Mewn i'r dŵr …

★★★

Dau hen wâg yn eistedd ar fainc ar Stryd Fawr y Bala pan dynnodd car mawr gyda rhif tramor arno i fyny atynt. Roedd y perchennog yn amlwg ar goll ac yn chwilio am gyfarwyddiadau.

"Entschuldigung, koennen Sie Deutch sprechen? Dolgellau?"

Syllodd y ddau Wa arno'n syn.

"Excusez–moi, parlez-vous Français? Dolgellau?"

Daliodd y ddau i syllu yn syn.

"Parlare Italiano? Dolgellau?"

Dim ymateb.

"Usted habla Español? Dolgellau?"

Gyrrodd y car i ffwrdd i gyfeiriad Corwen a'r perchennog yn amlwg wedi colli amynedd.

"Duw, wst ti be, Wa? Ella y basai'n syniad inni ddysgu iaith dramor."

"Pam?" medda'r llall. "Roedd y *chap* yna yn gallu pedair iaith a doedd o ddim help o gwbwl iddo fo!!!!!"

★★★

Tri corff yn y marwdy a'r tri gyda gwên fawr lydan ar eu hwynebau. Galwodd y crwner yr heddlu er mwyn rhoi esboniad am y tri chorff. Daeth y cwnstabl lleol, ac aethpwyd â fo yn syth at y corff cyntaf.

"Sais, 60 oed, cafodd drawiad yn y gwely gyda'i wraig ifanc newydd 25 oed, felly dyna pam y wên lydan," meddai'r crwner.

Aeth ymlaen at yr ail gorff.

"Albanwr, 50 oed, enillodd 3 miliwn o bunnau ar y loteri ac yfodd yr holl wisgi a allai a bu farw yn hapus. Dyna pam y wên lydan," meddai'r crwner.

Ac yna'r trydydd corff.

"Gwyddel, 40 oed, gafodd ei daro gan fellten," meddai'r crwner.

"Pam mae o yn gwenu ta?" meddai'r cwnstabl.

"Roedd o'n meddwl ei fod o'n cael tynnu ei lun."

Dau ffarmwr o Lanuwchllyn yn cael paned yng Nghaffi Cyfnod rhyw bnawn Iau.

"Duwcs, ma'r hen ful acw 'di dechrau cael ffitiau," meddai un. "Be roist di i dy ful di pan gafodd o ffitiau, d'wed?"

"Wel," meddai'r ail ffarmwr, "mi gymysges i dyrpyntein a methylated spirits a rhoi hanner galwyn i lawr ei gorn gwddw fo."

Yr wythnos wedyn dyma nhw'n cyfarfod am baned a dyma'r ffarmwr cyntaf yn dweud braidd yn flin, "Rois i dyrpyntein a methylated spirits i'r mul acw a wyddost ti be? Mi farwodd yn y fan ar lle."

"Duw, 'na ti ryfedd," medda'r llall. "Mi farwodd fy un innau, 'fyd."

★★★

Boi o Gorwen yn mynd i mewn i siop pethe trydanol.

"Sgiws mi, dach chi'n gwerthu teledu lliw?"

"Wrth gwrs, syr."

"OK, gymera i un glas, plis!!!!!!!!"

★★★

Dreifar lori o Bala yn torri i lawr yn Llandegla ar ei ffordd i Sw Gaer i ddanfon llwyth o fwncis. Roedd yn rhaid i'r mwncis gyrraedd y Sw erbyn 10 y bore neu mi fyddai yn colli ei waith. Felly dyma ddadlwytho'r mwncis a dechrau ffawdheglu tua Caer.

Toc, daeth lori Wyddelig a stopiodd y gyrrwr i gynnig cymorth.

"Lle ti'n mynd â'r mwncis 'ma?" meddai'r Gwyddel.

"Wel," meddai boi Bala, "gwna ffafr â fi a cer â'r rhain i Sw Gaer. Dyma ti £100 am dy drafferth."

Ar ôl trwsio ei lori stopiodd y gyrrwr o Bala mewn caffi ar yr A55 a phwy oedd yno ond y Gwyddel, ac er mawr syndod, roedd y mwncïod yn dal ganddo.

"Be sy'n mynd ymlaen? Ti fod wedi mynd â'r mwncis 'ma i Sw Gaer bora 'ma."

"Wel," meddai'r Gwyddel, "'dan ni 'di bod yn Sw Gaer a gweld bod 'na £50 ar ôl. Felly, dwi'n mynd â nhw i'r pictiwrs 'ŵan yn Llandudno Junction."

★★★

Roedd Gwyddel wedi cael gwaith ar safle adeiladu, ond un diwrnod cafodd dipyn o ddamwain pan ddisgynnodd llechen oddi ar y to a thorri ei glust i ffwrdd o'r asgwrn. Bu ei gyd-weithwyr yn chwilio yn ddyfal yn y baw a'r rwbel am ei glust. O'r diwedd, cafodd un o'r seiri coed hyd i glust a dyma 'na weiddi ar y Gwyddel.

Taflodd y Gwyddel y glust yn ôl i'r baw a'r llaca.

"Dim honna oedd hi. Roedd 'na bensil tu ôl i f'un i."

★★★

Tafarnwr yn gofyn i un o'i gwsmeriaid:

"Mae dy wydr di'n wag. Ti awydd un arall?"

"I be gythraul dwi eisiau dau wydr gwag," medda hwnnw.

★★★

Ar ein gwyliau rhyw flwyddyn yn ôl, roeddwn yn eistedd gyda'r wraig ar fainc yn Blackpool yn bwyta hufen iâ rasberi ripl – y fi yn fy siorts nofio a'r wraig acw yn ei bicini. Pan edrychais draw, pwy welwn yn dod ond merch ifanc hynod o siapus. Hynod, hynod o siapus, a deud y gwir. Ac yn wir roedd hi'n gwisgo yn union 'run bicini â'r wraig.

"Duw, yli, mae gan honna ficini union fath â chdi, mond siâp gwahanol!!!!"

Cefn llaw ges i.

★★★

Dau ffrind o Lanuwchllyn yn mynd i Lundain am y tro cyntaf. Yn Bond Street dyma nhw'n gweld arwydd yn dweud:

"Siwtiau £10, Crysau £2, Trowsusau £3"

"Weli," meddai un, "bargeinion. Mi ddylen ni brynu llwyth o'r rhain a mynd â nhw 'nôl i Lanuwchllyn a'u gwerthu nhw am broffid go lew."

Felly i mewn â nhw i'r siop.

"10 siwt, 20 crys a 30 pâr o drowsus, plis," meddai un.

"Dach chi'ch dau ddim yn lleol," meddai gŵr y siop.

"Wel nag ydan. O Lanuwchllyn 'dan ni'n dod, ond sut dach chi'n gallu deud?"

"Wel siop *dry cleaners* 'di hon!!!"

★★★

Dau hen ffrind yn cyfarfod ar y stryd a heb weld ei gilydd ers amser maith ac yn naturiol dyma'r ddau'n holi'r naill a'r llall sut oedd yr iechyd ac yn y blaen.

"Wel," meddai un, "dwi ddim wedi bod yn teimlo'n rhy arbennig yn ddiweddar, a deud y gwir, dwi 'di bod yn meddwl mai ci defaid dwi."

"Argol!" meddai llall. "Ond ti 'di gwella'n iawn erbyn hyn?"

"Tusw bach, yndw rŵan, dwi'n iach fel cneuen. Teimla gwlyb ydi 'nhrwyn i."

★★★

Roedd John Hughes Jones yn ffarmwr ieir heb ei ail ac un diwrnod dyma benderfynu bod angen ceiliog newydd ar y fferm, gan fod yr hen un yn mynd i dipyn o oed.

Cerddodd y ceiliog newydd i mewn i'r cwt ieir, yn dipyn o foi, a dyma weiddi ar yr hen geiliog i bacio ei bethau a symud allan.

"O, tyrd 'laen," meddai'r hen geiliog. "Dyro gyfle i mi brofi fy hun, o leiaf. Beth am gael ras o amgylch y buarth?"

"Iawn," meddai'r ceiliog ifanc, "ac i ddangos bo fi'n dipyn o *sportsman* mi ro i bum llathen o start i ti."

Ac i ffwrdd â'r ddau o amglych y buarth, ac fel roedd y ceiliog ifanc ar fin dal yr hen geiliog, dyma John Hughes yn gafael yn ei wn a saethu'r ceiliog ifanc yn farw.

"Fedra i ddim credu hyn," meddai. "Dyna'r trydydd ceiliog hoyw i mi brynu y mis yma."

★★★

Un o lanciau y dre yn syllu ar eneth ifanc mewn tafarn. Roedd hi'n gwisgo'r trowsus tynna roedd o erioed wedi'i weld.

Yn y diwedd roedd rhaid iddo gael gwybod un peth, felly dyma ofyn iddi:

"Sut mae mynd i mewn i drowsus mor dynn â hynna?"

"Wel" meddai, "tria brynu diod i mi yn gyntaf a gawn ni weld beth ddigwyddith yn nes ymlaen."

★★★

Mae waliau ein tŷ ni mor denau fydda i'n clywed ein cymdogion yn newid eu meddyliau.

Dau bry yn chware pêl-droed mewn soser.

"Tyrd yn dy flaen," medda un. "Rhaid i ni neud yn well na hyn, 'sdi. 'Dan ni'n chware yn y gwpan wythnos nesa!!!!"

★★★

Penderfynodd perchennog y tŷ fynd adra o'i waith yn gynnar i weld sut hwyl oedd y peintiwr yn ei gael ar addurno'r llofft ffrynt. Pan gyrhaeddodd adra roedd y peintiwr yn ruthro o gwmpas efo brwsh ym mhob llaw ac un arall yn ei geg ac un arall yn ei din.

"Be dach chi'n neud, ddyn?"

"Wel," meddai'r peintiwr, "does genna i ddim llawer o baent ar ôl, felly dwi'n trio gorffen cyn iddo redeg allan."

★★★

Pan o'n i'n eistedd mewn bar go amheus yng Nghorris un tro, daeth un o "ferched y nos" ataf a dweud y buasai hi'n gwneud unrhyw beth i mi am £75.

"Grêt," medda fi. "Gewch chi ddod acw i beintio'r tŷ."

★★★

Weithiau mi fydda i'n meddwl:

- pwy oedd y person cyntaf i edrych ar fuwch a meddwl, "Mmmm, fe wna i wasgu rheina ac yfed beth bynnag ddaw allan ohonyn nhw"?

- pam fod cylch bocsio yn sgwâr?

- sut nad oedd gan Tarzan locsyn!!!?

- sut maen nhw'n gallu nabod pobol o'u cofnodion deintyddol? Os nad ydynt yn nabod y person sut gythraul maen nhw'n gwybod pwy yw ei ddeintydd!!

- os yw cariad yn ddall pam fod *lingerie* mor rhywiol?

- pam nad ydy Mystic Meg yn ennill y loteri bob wythnos?

- pam fod golau yn y ffrij ond ddim yn y ffrîzyr?

- beth fyddai maint y môr petai 'na ddim *sponges* yn byw ynddo?

- beth mae defaid yn cyfrif os ydynt yn methu cysgu?

Roedd Mildred Jôns yn ddynes hynod o bwysig yn ardal Y Bala. Roedd yn flaenor yn y capel, yn Llywydd Merched Y Wawr ac yn Gadeirydd y Cyngor Plwy. Fodd bynnag, roedd yn dipyn o un am hel straeon am bobol eraill ac yn barod iawn i hel clecs am bawb a phopeth. A dweud y gwir roedd ar bawb drwy'r ardal ei hofn rhag ofn iddi gychwyn stori amdanyn nhw.

Fodd bynnag, fe wnaeth un camgymeriad mawr iawn pan fu iddi gychwyn stori fod Huw Huws, Bryn Blew, wedi troi at y ddiod ar ôl iddi weld ei Landrover wedi'i barcio y tu allan i westy'r Llong rhyw bnawn dydd Mercher. Dywedodd yn blwmp ac yn blaen wrth Huw fod ganddo broblem ddiod ac yn wir bu iddi gychwyn stori yn stafell y blaenoriaid fod Huw yn ymylu ar fod yn alcoholig.

Dyn o ychydig eiriau oedd Huw Huws, Bryn Blew. Ni fu iddo ymateb o gwbl i'r honiadau a wnaethpwyd gan Mildred.

Y noson honno, yn dawel bach, aeth Huw â'i Landrover a'i barcio yn union o flaen tŷ Mildred Jôns a cherdded adra gan adael y cerbyd yno dros nos.

Weithiau does dim angen deud dim, nag oes.

★★★

Dameg y Barbwr Da

Un diwrnod aeth dyn y siop flodau at y barbwr i dorri ei wallt. Pan ddaeth yn amser talu gwrthododd y barbwr yr arian gan ddweud ei fod yn gwasanaethu'r gymuned yr wythnos arbennig honno ac na fyddai'n derbyn unrhyw dâl gan neb. Y bore wedyn pan ddaeth y barbwr i'w waith roedd dwsin o rosod yn disgwyl amdano a cherdyn 'Diolch yn Fawr' gan ŵr y siop flodau.

Yn hwyrach y diwrnod hwnnw daeth plisman i mewn i gael torri ei wallt ac eto pan ddaeth yn amser talu gwrthododd y barbwr gan ddatgan ei fod yn gwasanaethu'r gymuned yr wythnos honno. Y bore wedyn roedd teisen hufen a cherdyn 'Diolch yn Fawr' yn disgwyl amdano fel gwerthfawrogiad o'i waith oddi wrth y plisman.

Y prynhawn arbennig hwnnw daeth Athro o'r Brifysgol leol i gael torri ei wallt ac eto yr un fu ymateb gŵr y siop. "Dim cost yr wythnos hon gan fy mod yn gwneud gwaith i'r gymuned." Bore wedyn roedd pecyn o lyfrau yn disgwyl amdano gan yr Athro.

Y diwrnod arbennig hwnnw daeth yr Aelod Seneddol lleol i mewn ac ar ôl cael torri ei wallt cafodd yntau hefyd yr un neges: "Dim cost i chi yr

wythnos yma, gwaith i'r gymuned." Roedd yr Aelod
Seneddol yn hynod ddiolchgar. Fore trannoeth pan
ddaeth y barbwr i'w waith roedd 6 aelod seneddol
yno yn aros ac yn disgwyl cael torri eu gwalltiau AM
DDIM.

★★★

Roedd teithiwr mewn tacsi o Gorris Uchaf i Gorris
Isaf am ofyn cwestiwn i'r gyrrwr, ac am fod y radio
ychydig bach yn rhy uchel dyma roi llaw ar ysgwydd
y gyrrwr er mwyn cael ei sylw.

Sgrechiodd y gyrrwr tacsi, cododd gwallt ei ben a
chollodd reolaeth lwyr o'r cerbyd. Gyrrodd ar draws
y ffordd, dros y gwrych, trwy dau gae o ŷd a llwyddo
i stopio chwe modfedd o ymyl clogwyn serth.

Am ychydig funudau roedd popeth yn dawel iawn,
ac yna dwedodd gyrrwr y tacsi, "Nefoedd yr adar, mi
wnaethoch chi fy nychryn i."

Dywedodd y teithiwr ofnus ei fod yn ddrwg iawn
ganddo ond nad oedd yn meddwl y buasai rhoi llaw
ar ei ysgwydd yn ei ddychryn gymaint.

"Wel," meddai'r gyrrwr, "heddiw ydy fy niwrnod
cyntaf i yn y job yma. Am yr ugain mlynedd diwethaf
dwi wedi bod yn gyrru hers."

★★★

Doedd gan Neli Ifans, Tŷ Pinc, ddim llawer o glem
ynglŷn â cheir. Pan ddaeth yn amser meddwl am

brynu car newydd penderfynodd yn gyntaf werthu ei char hi – hen Ford Anglia 1972 gyda 278,000 o filltiroedd ar y cloc. Er iddi hysbysebu mewn nifer fawr o bapurau dyddiol a gwahanol gylchgronau, yn amrywio o'r *Farmers Weekly* i'r *Goleuad*, doedd neb am roi cynnig am yr Anglia.

Un noson, yng nghyfarfod Merched y Wawr, bu'n trafod y broblem gyda Leus Tyn Tanc a chafwyd gwybodaeth y buasai'n haws gwerthu yr Anglia gyda llai o filltiroedd 'ar y cloc'. Roedd gŵr Leus, Napoleon Tyn Tanc, yn dipyn o grwc ac yn barod i 'addasu' y milltiroedd ar y cloc o 278,000 i tua 40,000.

"Gei di ddim trafferth ei werthu wedyn," meddai Leus.

Beth bynnag, y mis wedyn, yng nghyfarfod nesaf Merched y Wawr, dyma Leus yn gofyn i Neli Ifans a oedd hi wedi cael unrhyw lwc yn gwerthu'r Ford Anglia.

"Duwcs na, dwi am ei gadw fo," medda hithau. "Does 'na ddim ond 40,000 ar ei gloc o."

★★★

Cefais fy rhyfeddu y noson o'r blaen wrth fynd am dro i dŷ ffrind. Roedd o a'i gi defaid, Floss, yn chwarae gwyddbwyll. Roeddwn i wedi fy synnu braidd.

"Nefoedd, dyna'r ci clyfra dwi erioed 'di weld," meddwn i. "Mae o'n anhygoel, a deud y gwir, dwi'n methu credu'r peth."

"'Di o ddim mor glyfar â ti feddwl," medda fy ffrind. "Dim ond tair gêm mae o wedi ennill drwy'r nos."

***

Yng nghynhadledd flynyddol Gwyddonwyr Gofod y Byd dyma'r Americanwyr yn cyhoeddi eu bônt am anfon roced yn cario chwe dyn i'r blaned Mawrth, ac y byddent yno am fis yn gwneud arbrofion cyn dychwelyd yn ôl i'r ddaear.

Cyhoeddodd y Rwsiaid eu bônt am anfon roced i'r blaned Wranws gyda cant o ddynion arni, ac y byddent yno am flwyddyn cyn dod 'nôl i'r ddaear.

"Wel," meddai'r Gwyddel. "Rydym am wneud yn well na neb ohonoch chi. Rydym am anfon roced yn syth i'r haul."

"Paid â siarad yn wirion," meddai pawb fel côr. "Mi fydd y roced yn toddi cyn iddi gyrraedd."

"Ha!" meddai'r Gwyddel. "O na. Rydym am ei hanfon yno yn y nos."

***

Roedd awyren Air Cymru mewn trafferth ac anfonwyd neges Mayday Mayday.

Gofynnwyd i'r Capten gan y gwasanaethau brys am ei uchder a'i safle.

"Wel diawcs 'sti, Wa, dwi'n 5 troedfedd 6 modfedd ac yn eistedd yn y ffrynt!"

Mwy o hiwmor: